AI시대: 우리의 미래를 준비하다

AI시대: 우리의 미래를 준비하다

발 행 | 2024년 07월 09일
저 자 | 이상훈
펴낸이 | 한건희
펴낸곳 | 주식회사 부크크
출판사등록 | 2014.07.15.(제2014-16호)
주 소 | 서울특별시 금천구 가산디지털1로 119 SK트윈타워 A동 305호
전 화 | 1670-8316
이메일 | info@bookk.co.kr

ISBN | 979-11-410-9437-9

www.bookk.co.kr

AI시대:
우리의 미래를 준비하다

이상훈 지음

CONTENT

ChatGPT를 처음 접한 순간, 저는 그 놀라운 능력에 큰 충격을 받았습니다. 마치 미래의 한 장면을 경험하는 듯한 느낌이었습니다. 동시에 내가 알고 있는 지식과 기술들이 더 이상 필요 없을 것 같은 공포심이 들었습니다. 이러한 감정은 단순한 호기심에서 비롯된 것이 아니라, 앞으로 다가올 AI 시대에 대한 깊은 고민으로 이어졌습니다.

그 이후로 AI에 대해 많은 생각과 고민을 했습니다. AI가 우리 사회에 어떤 영향을 미칠지, 그리고 우리가 어떻게 준비해야 할지에 대해 끊임없이 질문을 던졌습니다. 이러한 고민의 결과를 이 책으로 엮었습니다. AI의 원리부터 실제 적용 사례, 그리고 윤리적 문제까지 다양한 주제를 다루며, 독자 여러분이 AI 시대를 더 잘 이해하고 준비할 수 있도록 돕고자 합니다.

이 책을 통해 독자 여러분도 다가올 AI 시대에 대해 깊이 생각해 보고, 그 변화에 잘 준비할 수 있기를 바랍니다. AI는 우리의 삶을 혁신적으로 변화시킬 잠재력을 가지고 있습니다. 우리가 그 변화를 긍정적으로 받아들이고, AI와 함께 더 나은 미래를 만들어 나갈 수 있기를 바랍니다. 감사합니다.

저자 이상훈

제 1장 AI란 무엇인가?

AI, 우리가 인공지능이라 부르는 것은 뭘까? 매일같이 들으며 살지만 막연히 영화에서 보던 로봇처럼 생각하는 사람도 있을 것이고, 시리나 빅스비처럼 우리의 삶에 도움을 주는 프로그램 정도로 생각하는 사람도 있을 것이다.

인공지능의 사전적 의미는 인간의 지능을 모방하여 문제를 해결하고 학습하는 컴퓨터 시스템을 의미한다. AI는 문제를 해결하기 위한 다양한 알고리즘을 가지고 있고, 데이터를 분석하고, 패턴을 인식하며, 이를 바탕으로 의사결정과 예측을 하는 일종의 컴퓨터 프로그램이다.

인공지능은 크게 좁은 인공지능(ANI), 일반 인공지능(AGI), 초인공지능(ASI)으로 나눌 수 있다. 좁은 인공지능이란 특정한 작업을 수행하는 데 특화된 AI로 현재 우리가 접할 수 있는 대부분의 AI가 여기에 속한다. 예를 들자면 음성 비서인 시리나 구글 어시스턴트, 이미지 인식 및 분류를 해주는 구글포토, 유튜브에서 여러 가지 영상 중 나에게 가장 적합한 것을 추천해주는 추천 시스템, 바둑을 두는 알파고 같은 인공지능이다. 이러한 인공지능 시스템들은 특정 작업을 수행하는 데 최적화되어 있어 인간의 개입 없이도 효율적으로 작업을 진행할 수 있다.

두 번째로 일반 인공지능(AGI)이란 인간과 동등한 수준의 지능을 가지며 다양한 작업을 수행할 수 있는 AI를 말한다. 현재 일반 인공지능은 개발 초기 단계에 있으며, 수많은 연구자들이 인간의 학습 능력과 추론 능력을 모방하는 AI를 만들기 위해 노력하고 있다. 일반 인공지능은 복잡한 문제 해결과 창의적 사고를 할 수 있어 다양한 분야에서 인간과 비슷한 능력을 발휘하는 게 그 목적이다.

마지막으로 초인공지능(ASI)은 인간의 지능을 초월하는 인공지능을 의미한다. 이는 우리가 영화에서 많이 봤던 인간을 지배하는 AI와 같은 수준으로, 인간이 상상할 수 없는 수준의 지능과 능력을 가질 것으로 예상된다. 초인공지능은 아직 실현되지 않았지만 그 가능성은 많은 논의와 연구의 대상이 되고 있다. 초인공지능은 모든 인간의 지식을 통합하고 새로운 지식을 창출할 수 있는 능력을 갖추게 될 것이다.

　최근에는 인공지능 또는 AI라는 단어가 자주 사용되지만, 훨씬 오래전부터 우리는 AI 기술을 사용하며 살아왔다. 가장 가까운 예로 음성 비서로 사용하고 있는 시리나 구글 어시스턴트 등이 있다. 이러한 음성 비서는 사용자의 음성을 인식하고 명령을 수행하는 좁은 인공지능의 한 예이다. 이 기술은 자연어 처리와 머신러닝 알고리즘을 사용하여 사용자의 요청을 이해하고 날씨 정보를 제공하거나 알림을 설정하는 등의 작업을 수행한다. 음성 비서는 우리의 일상을 더욱 편리하게 만들어주며 스마트 홈 기술과 결합하여 가정 내 여러 가지 기기를 제어할 수 있다.

　최근에 많이 보급되고 있는 자율 주행 자동차 또한 인공지능의 또 다른 예라 할 수 있다. 컴퓨터 비전과 강화 학습을 통해 도로 상황을 분석하고 안전한 경로를 선택하여 인공지능이 스스로 주행한다. 이러한 인공지능 기술은 교통 사고를 줄이고, 운전의 편리성을 높이는데 크게 기여하고 있다. 자율 주행 자동차는 복잡한 교통 상황에서도 스스로 판단하고 최적의 주행 경로를 선택할 수 있는 능력을 갖추고 있다. 물론 오작동으로 인한 사고가 끊이지 않고 있지만 전체 자율주행 자동차의 숫자에 비하면 사고 빈도는 매우 낮은편으로 그 신뢰도는 높다고 할 수 있다.

우리나라에서는 활발하게 사용되지 않는 편이긴 하지만, 미국의 경우 의료 분야에서도 인공지능은 중요한 역할을 하고 있다. 의료 영상 분석 인공지능은 MRI나 CT 스캔 이미지를 분석하여 종양이나 기타 질병을 조기 발견하는 데 활용되고 있다. IBM과 같은 거대 IT기업에서는 Watson Health라는 의료용 인공지능을 개발하여 방대한 양의 의료 데이터를 분석하고, 암 치료법을 제안하는 등의 작업을 이미 수행하고 있다. 또한, Watson Health는 환자의 유전자 데이터를 분석하여 개인 맞춤형 치료법을 제안하기도 한다.

우리가 자주 사용하는 카드사와 같은 금융 분야에서는 이미 오래 전부터 인공지능을 활용하고 있다. 거래 데이터를 실시간으로 분석하여 사기 거래를 탐지하고, 고객의 지출 패턴을 분석해 맞춤형 금융 상품을 추천하기도 한다. 인공지능 기반의 사기 탐지 시스템은 이상 거래 패턴을 실시간으로 분석하여 잠재적인 사기 거래를 식별할 수 있다. 이는 금융 기관의 사기를 예방하고 고객의 자산을 보호하는 데 도움을 주며, 고객의 금융 행동을 분석하여 개인화된 금융 서비스를 제공한다.

아마존은 AI 기술을 적극 활용하고 있는 기업 중 하나이다. 아마존은 고객의 구매 기록을 분석하고, 고객이 구매하고자 하는 제품을 사용자에게 추천해준다. 우리나라의 쿠팡 또한 이와 유사한 AI 추천 시스템을 활용하고 있다. 이런 AI 기술은 고객의 만족도를 높이고 매출을 증가시키는 데 중요한 역할을 하고 있다.

위에서 살펴본 바와 같이 AI는 현 시점에서 널리 사용되고 있으며, 크게 자연어 처리, 컴퓨터 비전, 추천 시스템, 예측 분석 분야에서 활용되고 있다.

자연어 처리(NLP)는 언어를 이해하고 생성하는 데 큰 역할을 한다. 음성 비서, 번역 서비스, 자동 요약 등의 기술이 있다. 구글 번역은 자연어 처리를 사용하여 다국어 번역을 제공하고, ChatGPT 같은 모델은 자연어 처리를 활용해 자연스러운 대화와 텍스트 생성을 가능하게 한다.

컴퓨터 비전은 이미지와 비디오 데이터를 분석하고 이해하는 기술이다. 얼굴 인식, 객체 인식, 자율 주행 등의 분야에서 활용된다. 페이스북의 사진 태그 기능은 컴퓨터 비전을 사용하여 사용자의 얼굴을 인식하고 태그를 제안한다. 테슬라의 자율 주행에 사용되는 기술도 컴퓨터 비전의 한 종류라 할 수 있다.

추천 시스템은 사용자의 취향과 행동을 분석하고 개인화된 콘텐츠를 추천한다. 이는 온라인 쇼핑, 스트리밍 서비스, 소셜 미디어 등에서 많이 활용되고 있으며, 넷플릭스와 유튜브처럼 사용자의 시청 기록을 분석하여 맞춤형 콘텐츠를 제공하는 데 활용되고 있다.

마지막으로 예측 분석 기술은 과거의 데이터를 기반으로 미래의 트렌드와 결과를 예측한다. 이는 비즈니스 의사 결정, 재고 관리, 마케팅 전략 수립 등에 활용된다. 쿠팡의 로켓배송과 로켓와우는 이러한 시스템을 적극 활용하여 재고 관리를 시행하고 있다.

이처럼 AI는 우리의 일상에 깊숙이 들어와 있으며, 다양한 형태로 우리의 삶을 변화시키고 있다. AI 기술을 이해하고 이를 활용하는 능력을 갖추는 것은 현대 사회에서 필수적인 역량이 될 것이다. 다음 장에서는 AI의 역사를 통해 이러한 기술이 어떻게 발전해 왔는지 살펴보겠다.

제2장 AI의 역사

AI의 역사는 1950년대로 거슬러 올라간다. 당시 컴퓨터 과학의 선구자 앨런 튜링은 그의 논문 'Computing Machinery and Intelligence'에서 "기계가 생각할 수 있는가?"라는 중요한 질문을 던지며 AI의 기초를 다졌다. 튜링은 인간의 지능을 기계가 모방할 수 있는지를 평가하는 기준으로 '튜링 테스트'를 제안했다. 이 테스트는 컴퓨터가 인간과 구별되지 않을 정도로 자연스럽게 대화할 수 있는지를 평가하는 방법으로, 오늘날에도 여전히 중요한 개념으로 남아 있다. 튜링의 혁신적인 아이디어는 AI 연구의 출발점이 되었다.

1956년 다트머스 회의에서 '인공지능'이라는 용어가 처음 사용되었다. 이 회의는 AI 연구의 출발점으로 여겨지며, 미국의 인지심리학자 존 매카시, MIT 인공지능 연구소의 공동 설립자인 마빈 민스키, 정보이론의 선구자 클로드 새넌 등이 주도했다. 이들은 인간의 지능을 모방하는 기계를 개발하는 목표를 세우고 초기 AI 시스템을 연구하기 시작했다. 다트머스 회의에서 제안된 많은 아이디어들이 현재의 AI 연구에 기초가 되었다.

1950년대와 1960년대의 초기 AI 연구는 기호적 접근법(Symbolic AI)에 기반을 두고 있었다. 이 접근법은 인간의 논리적 사고를 모방하는 규칙 기반 시스템을 만드는 것이었다. 예를 들어, 1966년 조셉 와이젠바움이 개발한 ELIZA는 간단한 패턴 매칭 알고리즘을 사용해 인간과 대화할 수 있는 컴퓨터 프로그램이었다. ELIZA는 심리치료 대화를 모방해 사용자의 입력에 대해 간단한 응답을 생성했으며, 이는 AI가 인간과의 상호작용을 통해 의미 있는 대화를 나눌 수 있는 가능성을 보여주었다. 초기 AI 연구는 게임과 문제 해결에도 집중되었다. 1951년 크리스토퍼 스트래치는 체커 게임을 두는 프로그램을 개발하였고, 이는 기계가 복잡한 전략 게임을 이해하고 플레이할 수 있는 능력을 보여주었다. 또 다른 예로는 1956년 앨런 뉴웰과 허버트 사이먼이 개발한 논리 이론가(Logic Theorist)가 있다. 이 프로그램은 인간의 논리적 추론을 모방해 수학적 정리를 증명하는 데 성공했다.

그러나 1970년대와 1980년대에는 AI 연구가 한계에 부딪히면서 'AI 겨울(AI Winter)'이라고 불리는 침체기를 맞이했다. 이 시기에는 AI 연구에 대한 관심과 자금 지원이 급격히 줄어들었다. AI 겨울의 주요 원인은 기술적 한계와 과도한 기대였다. 초기 AI 시스템은 간단한 문제를 해결하는 데 성공했지만, 복잡한 문제를 해결하는 데는 한계가 있었다. 또한, AI 연구자들이 예상했던 만큼의 성과를 내지 못하면서 실망이 커졌고, 이는 AI 연구에 대한 관심을 감소시켰다.

1990년대 이후 컴퓨터 성능의 향상과 함께 인터넷과 빅데이터의 등장으로 AI 연구는 다시 부흥기를 맞이했다. 특히 2010년대 들어서 딥러닝이라는 기술이 발전하면서 AI는 다시 한 번 혁신의 중심에 서게 되었다. 딥러닝은 사람의 뇌처럼 작동하는 인공 신경망을 활용해 데이터를 처리하고 학습하는 방법으로, 특히 대량의 데이터를 분석하는 데 뛰어난 성능을 발휘한다.

딥러닝의 핵심 기술 중 하나는 합성곱 신경망(CNN)이다. CNN은 이미지 인식에 탁월한 성능을 보여주는 신경망 구조로, 여러 층의 뉴런을 통해 이미지의 특징을 학습하고 인식하는 데 사용된다. 알렉스넷은 CNN을 활용해 이미지 인식 분야에서 큰 성과를 거둔 대표적인 사례이다.

또한, 자연어 처리를 위한 순환 신경망(RNN)과 장단기 메모리(LSTM) 네트워크도 AI 기술의 중요한 부분이다. RNN은 시간 순서에 따라 데이터가 입력되는 시계열 데이터 처리에 적합한 신경망 구조로, 주로 텍스트나 음성 데이터를 분석하는 데 사용된다. 그러나 RNN은 긴 시퀀스 데이터를 처리할 때 성능이 저하되는 문제가 있는데, 이를 해결하기 위해 LSTM이 개발되었다. LSTM은 긴 시퀀스 데이터도 효과적으로 학습할 수 있도록 고안된 구조로, 음성 인식, 번역, 텍스트 생성 등 다양한 언어 기반 작업에서 뛰어난 성능을 발휘한다. 구글 번역은 LSTM을 활용해 더욱 정확하고 자연스러운 번역을 제공할 수 있다.

1997년 IBM의 딥 블루(Deep Blue)는 체스 세계 챔피언 가리 카스파로프를 이기며 AI의 가능성을 다시 한 번 입증했다. 딥 블루는 복잡한 체스 게임에서 수백만 가지의 가능한 수를 계산하고, 최적의 수를 선택하는 능력을 갖추고 있었다. 이는 AI가 특정 분야에서 인간을 능가할 수 있는 잠재력을 보여주었다. 2012년 알렉스넷(AlexNet)은 이미지 인식 대회인 ILSVRC에서 뛰어난 성능을 보이며, 딥러닝의 잠재력을 다시 한 번 증명했다. 알렉스넷은 수백만 장의 이미지를 학습하여 객체를 정확하게 인식할 수 있었으며, 이는 딥러닝 기술이 현재 AI 분야의 핵심 기술로 자리 잡게 되는 중요한 전환점이 되었다.

AI 발전의 이면에는 수많은 과학자와 연구자들의 헌신이 있었다. 마빈 민스키는 AI의 철학적 기초를 다진 인물로, 인간의 지능을 이해하고 모방하는 기계를 만드는 데 중요한 역할을 했다. 그는 인간의 뇌를 이해하는 것이 AI 발전의 열쇠라고 믿었으며, 이를 바탕으로 많은 연구를 진행했다. 존 매카시는 LISP 프로그래밍 언어를 개발하여 AI 연구에 혁신을 가져왔으며, 다트머스 회의에서 '인공지능'이라는 용어를 처음 사용한 인물로도 유명하다. 매카시는 AI 연구의 중요한 기초를 다졌으며, 그의 연구는 오늘날 AI 발전의 토대가 되었다. 앨런 뉴웰과 허버트 사이먼은 논리 이론을 개발하며, 인간의 논리적 추론을 모방해 수학적 정리를 증명하는 데 성공했다. 이들은 AI 연구에 기여한 많은 논문과 이론을 발표하며, AI의 기초를 다지는 데 중요한 역할을 했다.

가장 잘 알려진 AI 사례 중 하나는 구글의 알파고(AlphaGo)이다. 알파고는 바둑 세계 챔피언을 이기며 강화 학습이라는 모델의 가능성을 입증했다. 강화 학습은 에이전트가 환경과 상호작용하며, 주어진 목표를 달성하기 위해 최적의 행동을 학습하는 방법이다. 알파고는 수백만 가지의 바둑 대국을 학습하여 최적의 수를 선택할 수 있었으며, 이는 AI가 복잡한 전략 게임에서도 인간을 능가할 수 있는 능력을 보여주었다.

AI의 발전은 기술적, 사회적, 문화적 요소가 복합적으로 작용한 결과이다. 앞으로도 AI는 우리의 삶과 사회에 큰 변화를 가져올 것이며, 우리는 이러한 변화를 이해하고 준비해야 한다. 이제, AI의 과거와 현재를 이해한 우리는 앞으로 AI가 우리의 미래를 어떻게 바꿀지에 대해 기대하며 다음 장으로 넘어가 보자.

제3장 스며드는 AI

AI는 이미 우리의 일상생활 곳곳에 깊숙이 스며들어 있다. AI 기술이 일상생활에서 어떻게 활용되고 있는지 다양한 예시와 사례를 통해 살펴보자.

아침에 눈을 뜨자마자 우리는 스마트 스피커와 대화하며 하루를 시작한다. 아마존의 알렉사(Alexa), 애플의 시리(Siri), 구글 어시스턴트(Google Assistant) 등은 우리의 목소리를 인식해 음악을 재생하고, 일정을 알려주며, 최신 뉴스를 전달해준다. 알렉사는 "오늘 날씨 어때?"라는 질문에 답하고, "오후 3시에 미팅 있어"라는 명령을 받아들여 우리의 일정표를 업데이트해준다. 이러한 AI 스피커는 단순한 음성 인식을 넘어, 사용자의 목소리를 분석해 권한이 있는 사용자의 명령만을 수행하는 등 개인화된 서비스를 제공한다. 독거노인들에게는 AI 스피커가 고독사를 예방하고, 말동무가 되어주는 소중한 친구가 되기도 한다. 해외의 호텔에서는 손님들이 AI 스피커를 통해 룸서비스를 요청하거나 호텔 시설에 대한 정보를 쉽게 얻을 수 있다.

스마트 스피커와 음성 비서는 단순히 일상적인 질문과 명령을 처리하는 것을 넘어, 우리의 생활 방식을 변화시키고 있다. 예를 들어, 알렉사는 음악 재생, 일정 관리, 뉴스 업데이트 등 여러 가지 기능을 제공하며, 사용자의 음성 명령을 기반으로 스마트 홈 기기와 연동되어 조명, 온도 조절기, 보안 시스템 등을 제어할 수 있다. 이러한 AI 스피커는 단순한 음성 인식이나 명령 수행을 넘어서 개별 사용자의 음성을 분석하고, 허용된 사용자의 명령만 수행하는 기능도 포함되어 있다.

집안의 조명과 온도도 이제 AI가 관리한다. 필립스 휴(Philips Hue) 시스템은 사용자의 생활 패턴을 학습해 자동으로 조명을 켜고 끈다. 이 시스템은 에너지를 절약할 뿐만 아니라, 집에 들어섰을 때 맞이하는 따뜻한 불빛으로 우리의 하루를 더욱 편안하게 만들어준다. 해외에서는 네스트(Nest)라는 온도 조절기가 AI를 통해 사용자의 온도 선호도를 학습하고, 최적의 실내 온도를 유지해준다. 네스트는 에너지 효율성을 높여 환경 보호에도 기여한다. 예를 들어, 네스트는 사용자의 일정을 학습해 집에 아무도 없을 때는 난방을 자동으로 줄여 에너지를 절약한다.

가정의 보안도 AI의 손에 달려 있다. 링(Ring) 도어벨은 AI 기반 얼굴 인식 기술로 방문자를 식별하고, 이상한 활동이 감지되면 사용자의 스마트폰에 알림을 보낸다. 이는 원격으로도 가정의 안전을 지킬 수 있게 도와준다. 뿐만 아니라, 연기 감지기나 일산화탄소 감지기의 데이터를 분석해 화재나 가스 누출을 조기에 경고할 수 있다. 예를 들어, 네스트 프로텍트(Nest Protect) 시스템은 연기와 일산화탄소를 감지해 사용자에게 경고하며, 필요할 경우 자동으로 알람을 울리고 스마트폰으로 알림을 보낸다.

우리가 자주 사용하는 로봇 청소기 또한 AI 기술의 산물이다. 과거의 로봇 청소기는 무작위로 돌아다니며 청소했다면, 오늘날의 로봇 청소기는 다양한 센서와 AI를 통해 집 안의 구조를 학습하고, 최적의 경로를 계획해 효율적으로 청소한다. 장애물을 피해가며 깔끔하게 청소를 완료하는 능력은 AI 덕분이다. 아이로봇 룸바(iRobot Roomba)는 각 방의 청소 빈도를 학습해 더러운 부분을 집중적으로 청소하며, 사용자가 설정한 일정에 따라 자동으로 청소를 시작하고 끝낸다.

저녁에 넷플릭스를 켜면 AI가 우리를 맞이한다. 넷플릭스와 유튜브, 스포티파이, 애플 뮤직 등의 스트리밍 서비스는 AI 기반 추천 시스템을 활용해 우리가 좋아할 만한 콘텐츠를 추천해준다. 넷플릭스는 사용자의 시청 기록과 평가를 분석해 개인 맞춤형 영화와 TV 프로그램을 추천하며, 유튜브는 사용자의 선호도를 기반으로 맞춤형 영상을 추천한다. 스포티파이의 'Discover Weekly' 플레이리스트는 사용자가 좋아할 만한 새로운 음악을 매주 추천하며, 최근에는 사용자의 음악 취향을 분석해 감정 상태와 상황에 맞춘 음악을 추천하는 방향으로 발전하고 있다. 이러한 추천 시스템은 사용자 경험을 크게 향상시켜, 사용자가 새로운 콘텐츠를 발견하는 즐거움을 제공한다.

자율 주행 자동차는 AI의 또 다른 혁신적인 적용 사례다. 테슬라(Tesla)의 자율 주행 시스템은 AI를 사용해 도로 상황을 실시간으로 분석하고, 최적의 주행 경로를 선택한다. 테슬라의 자율 주행 기능은 단순히 주행을 보조하는 것을 넘어, AI가 주행을 제어해 운전자의 부담을 덜어준다. 구글의 웨이모(Waymo)는 자율 주행 택시 서비스를 운영하며, 자율 주행 기술의 상용화를 촉진하고 있다. 이러한 자율 주행 자동차는 단순히 주행 경로를 선택하는 것을 넘어, 교통 상황을 종합적으로 분석해 더욱 안전하고 효율적인 주행 환경을 제공한다. 예를 들어, 웨이모는 자율 주행 택시 서비스를 통해 수백만 마일을 주행하며 얻은 데이터를 분석해 자율 주행 기술을 지속적으로 개선하고 있다.

싱가포르의 교통 관리 시스템은 AI를 사용해 실시간으로 교통량을 분석하고 신호등을 자동으로 제어해 교통 체증과 혼잡도를 줄인다. 이는 도시의 교통 효율성을 높이고, 대기 오염을 줄이는 데 크게 기여하고 있다. AI 기반 교통 시스템은 실시간 데이터를 바탕으로 최적의 신호 타이밍을 계산해 교차로의 차량 흐름을 원활하게 하고, 교통 체증을 완화한다. 이는 운전자들에게 더 나은 운전 경험을 제공하며, 도시 전체의 교통 흐름을 개선한다.

AI는 금융 서비스에서도 혁신을 일으키고 있다. 웰스 파고(Wells Fargo)는 AI를 사용해 고객의 지출 패턴을 분석하고, 맞춤형 금융 상품을 추천한다. 국민은행의 AI 은행원 서비스와 AI 자산관리 서비스도 고객의 전체적인 금융 상태를 종합적으로 관리하며 개인화된 금융 서비스를 제공한다. 블랙록(BlackRock)과 같은 거대 투자사는 이미 오래전부터 AI를 사용해 투자 포트폴리오를 관리하고 수익을 극대화하고 있다. AI 기반 투자 플랫폼은 시장 데이터를 실시간으로 분석해 최적의 투자 결정을 내린다. 이는 투자자의 수익을 극대화하고, 리스크를 최소화하는 데 도움을 준다.

AI는 교육 분야에서도 큰 변화를 가져오고 있다. AI 튜터링 시스템은 학생 개개인의 학습 스타일과 수준을 분석해 맞춤형 학습 계획을 제공한다. 칸 아카데미(Khan Academy)는 AI를 사용해 학생들의 학습 진행 상황을 분석하고, 각 학생에게 최적의 학습 경로를 제시한다. 이는 학생들이 보다 효율적으로 학습할 수 있도록 돕는다. 또한, AI는 교육 자료를 생성하고 평가를 자동화해 교사들의 업무 부담을 줄이고, 학생들의 학습 효율성을 높인다. 예를 들어, 듀오링고(Duolingo)는 AI를 활용해 사용자의 언어 학습 패턴을 분석하고, 개인 맞춤형 학습 경로를 제공해 학습 효율성을 높인다.

헬스케어 분야에서도 AI는 혁신을 주도하고 있다. 애플 워치(Apple Watch)는 심박수, 운동량, 수면 패턴 등을 모니터링해 사용자의 건강 상태를 실시간으로 분석한다. 이러한 데이터는 사용자가 건강 목표를 달성하는 데 도움을 줄 뿐만 아니라, 이상 징후를 조기에 발견해 의료 상담을 권장하는 데도 사용된다. AI 기반 건강 관리 앱인 마이핏니스팔(MyFitnessPal)은 사용자의 식습관과 운동량을 추적해 맞춤형 다이어트 계획을 제안한다. 또한, AI 챗봇은 사용자의 건강 상태를 모니터링하고, 필요한 경우 의료 전문가와의 상담을 연결해 줄 수 있다. 이러한 건강 관리 앱은 단순히 사용자의 건강 데이터를 분석하는 것을 넘어, 사용자의 건강 목표를 달성하기 위한 종합적인 건강 관리 서비스를 제공한다.

AI는 원격 진료에서도 중요한 역할을 한다. 텔레메디신 플랫폼은 AI를 활용해 환자의 증상을 분석하고, 적절한 의료 상담을 제공한다. 이는 특히 의료 접근성이 낮은 지역에서 중요한 역할을 한다. 또한, AI는 의료 영상 분석을 통해 MRI, CT 스캔 등의 이미지를 분석하고, 질병을 조기에 발견하는 데 도움을 준다. 예를 들어, IBM의 왓슨 헬스(Watson Health)는 방대한 양의 의료 데이터를 분석해 암 치료법을 제안하고 있다. AI 기반 원격 진료 시스템은 환자의 건강 상태를 실시간으로 모니터링해 이상 징후를 조기에 발견하고, 신속한 대응을 가능하게 한다.

여행 및 내비게이션 분야에서도 AI는 우리의 삶을 더욱 편리하게 만들고 있다. 구글 맵스(Google Maps)는 AI를 사용해 실시간 교통 상황을 분석하고, 최적의 경로를 제시한다. 이를 통해 사용자들은 교통 체증을 피하고, 보다 빠르고 효율적으로 목적지에 도달할 수 있다. AI는 여행 추천 서비스에도 활용되어 사용자의 취향과 예산에 맞춘 여행 계획을 제안한다. 에어비앤비(Airbnb)는 AI를 사용해 사용자에게 맞춤형 숙박 시설을 추천하고, 여행 일정을 계획하는 데 도움을 준다. AI 기반 여행 서비스는 사용자의 리뷰와 평가를 분석해 보다 개인화된 여행 경험을 제공하며, 여행 계획을 세우는 데 필요한 시간을 절약해준다.

이처럼 AI는 이미 우리의 일상생활에 깊숙이 자리 잡고 있으며, 다양한 형태로 우리의 삶을 변화시키고 있다. 앞으로도 AI는 계속해서 발전할 것이며, 우리의 삶에 더 많은 혁신을 가져올 것이다. 우리는 이러한 변화를 이해하고, AI 기술을 효과적으로 활용할 수 있는 능력을 키워야 한다. AI는 우리의 일상을 더욱 편리하고 풍요롭게 만들 잠재력을 가지고 있으며, 이를 통해 더 나은 삶을 누릴 수 있을 것이다.

제4장 AI와 직업: 사라져가는 것들

AI 시대가 도래 하면서 우리의 직업 세계에도 큰 변화가 일어나고 있다. AI 기술의 발전은 많은 직업을 대체할 수 있는 잠재력을 가지고 있으며, 이는 곧 많은 사람들이 일자리를 잃을 수 있다는 불안감을 불러일으킨다. 그러나 한편으로는 새로운 직업과 기회가 창출될 가능성도 크다. 이번 장에서는 AI로 인해 사라질 가능성이 높은 직업들에 대해 자세히 알아보고, 그 이유와 함께 어떻게 대비할 수 있을지에 대해 이야기해보겠다. 또한, AI 시대에도 비교적 안전한 직업들에 대해서도 살펴보겠다.

AI가 왜 이렇게 많은 직업을 대체할 수 있는지 이해하는 것이 중요하다. AI는 인간보다 더 빠르고 정확하게 데이터를 처리하고 분석할 수 있다. 이러한 능력은 특히 반복적이고 예측 가능한 업무에 강점을 발휘한다. 예를 들어, 금융 분석, 법률 검토, 데이터 입력과 같은 업무는 AI가 인간보다 훨씬 효율적으로 수행할 수 있다. 이는 결국 이러한 직업들이 사라지거나 대폭 축소될 가능성이 높음을 의미한다.

금융 분석가는 기업의 재무 상태를 분석하고, 투자 결정을 지원하는 역할을 한다. 그러나 AI는 이미 많은 금융 기관에서 이러한 역할을 대체하고 있다. AI는 대량의 금융 데이터를 빠르게 분석하고, 투자 기회를 예측할 수 있는 능력을 가지고 있다. 앞서 설명한 블랙록(BlackRock)은 AI를 사용해 투자 포트폴리오를 관리하고 있으며, 이는 인간 금융 분석가의 역할을 대체하고 있다. AI는 실시간으로 시장 데이터를 분석하고, 최적의 투자 결정을 내릴 수 있다. 이는 금융 분석가의 역할이 축소될 가능성을 높인다.

법률 검토자는 계약서, 법률 문서 등을 검토하고, 법적 위험을 분석하는 역할을 한다. 그러나 AI는 이러한 문서들을 빠르고 정확하게 분석할 수 있는 능력을 가지고 있다. AI 기반 법률 기술은 대량의 법률 문서를 신속하게 검토하고, 중요한 정보를 추출해낼 수 있다. 이미 우라나라에서도 세금 업무를 대행해주는 AI 서비스들이 많이 존재하고 있고, 앞으로는 더 많은 법률분야에서 사용될 것이다. 미국의 경우 로스 인텔리전스(Ross Intelligence)와 같은 AI 기반 법률 서비스가 이미 많은 로펌에서 사용되고 있으며, 이는 법률 검토자의 역할을 대체하고 있다.

데이터 입력 담당자는 다양한 데이터를 시스템에 입력하는 역할을 한다. 그러나 AI는 이러한 작업을 훨씬 더 빠르고 정확하게 수행할 수 있다. OCR(Optical Character Recognition) 기술을 사용해 문서의 텍스트를 자동으로 인식하고 입력할 수 있다. 이는 데이터 입력 사무원의 역할이 대체될 가능성을 높인다.

고객 서비스 담당자는 고객의 문의에 응대하고, 문제를 해결하는 역할을 한다. 그러나 AI 기반 챗봇은 이러한 역할을 대체하고 있다. 챗봇은 24시간 동안 고객의 문의에 응답할 수 있으며, 대량의 문의를 신속하게 처리할 수 있다. 아마존의 AI 기반 고객 서비스 챗봇은 고객의 문의를 신속하게 처리하고 있으며, 이는 고객 서비스 대표의 역할을 축소시키고 있다. 점점 더 많은 업체들이 이런 AI 기밧 챗봇을 활용하고 있으며, 최근에는 전화상담도 상담사가 아니라 AI로 진행하는 기업도 증가하고 있는 만큼, 고객 서비스 담당자의 업무는 곧 AI로 대체 될 것이다.

제조업에서는 이미 많은 작업이 자동화되고 있다. AI와 로봇 기술의 발전으로 인해 반복적인 제조 작업은 점점 더 자동화되고 있다. 테슬라의 제조 공장은 대부분의 작업을 로봇이 수행하고 있으며, 이는 제조업 노동자의 역할을 대체하고 있다. AI 기반 로봇은 높은 정확도와 효율성으로 작업을 수행할 수 있으며, 이는 제조업 노동자의 역할을 축소시키고 있다. 물론 AI의 발전과는 별개로 로봇 기술도 함께 발전해야 한다는 한계점이 있지만 이미 오래전부터 로봇이 인간의 직업을 대체하고 있는 상황에서 AI와의 시너지를 통해 더 빠르게 제조업에서 사람이 설 자리가 사라질 것으로 보인다.

판매원은 고객에게 제품을 소개하고 판매하는 역할을 한다. 그러나 AI는 이러한 역할을 대체할 수 있다. AI 기반 추천 시스템은 고객의 구매 패턴을 분석하고, 개인화된 제품 추천을 제공할 수 있다. 우리가 사용하고 있는 대부분의 온라인 쇼핑몰은 추천 시스템을 통해 고객이 관심을 가질 만한 제품을 예측하고, 이를 메인 페이지에 노출하여 구매 가능성을 높인다. 과거에는 방문 판매원이라는 분들이 직접 만나서 상품을 소개하고 판매도 하였지만 대부분의 서비스가 온라인으로 옮겨가고 있으며, 보험 상품 또한 다이렉트라는 이름으로 판매원 없이 직접 계약을 맺을 수 있기에 판매원과 관련된 직장은 사라질 가능성이 높다.

AI와 자율 주행 기술의 발전으로 택배 기사도 사라질 위기에 처해 있다. 자율 주행 차량은 물류 산업에서 중요한 역할을 할 수 있다. 아마존은 자율 주행 드론을 사용해 배송 서비스를 제공하고 있으며, 이는 택배 기사의 역할을 대체하고 있다. 물론 빠른 시일 내에 택배 기사가 대체될 것이라고 보기는 어렵지만, 현재 물류 이동과 분류 작업 등은 AI가 많은 부분을 담당하고 있다. 자율 주행 기술과 로봇 기술의 발전, 거기에 AI의 발전 속도에 따라 택배 기사라는 직업도 사라질 날이 올 것이다.

회계사는 기업의 재무 상황을 분석하고, 회계 기록을 유지하는 역할을 한다. 그러나 AI는 이러한 역할을 대체할 수 있다. AI 기반 회계 소프트웨어는 대량의 회계 데이터를 신속하게 분석하고, 정확한 재무 보고서를 작성할 수 있다. 인튜이트(Intuit)의 퀵북스(QuickBooks)는 AI를 사용해 회계 작업을 자동화하고 있으며, 이는 회계사의 역할을 축소시키고 있다.

운전사는 택시, 버스, 트럭 등을 운전하는 역할을 한다. 그러나 자율 주행 기술의 발전으로 운전사도 사라질 위기에 처해 있다. 자율 주행 차량은 교통 상황을 실시간으로 분석하고, 최적의 경로를 선택해 안전하게 운전할 수 있다. 테슬라의 자율 주행 시스템은 도로 상황을 분석해 최적의 주행 경로를 선택하며, 이는 운전사의 역할을 대체하고 있다. 구글의 웨이모(Waymo)는 자율 주행 택시 서비스를 운영하며, 자율 주행 기술의 상용화를 촉진하고 있다. 국내에서도 자율주행 버스등에 대한 테스트가 이루어지고 있고, 대구의 경우 운전사가 없는 지하철도 운행되고 있는 만큼, 머지않아 운전사가 사라진 세상을 맞이하게 될 것이다.

이처럼 AI는 다양한 산업과 직업에 영향을 미치며, 많은 직업들이 사라질 위기에 처해 있다. 그러나 이는 동시에 새로운 기회도 제공한다. AI 기술의 발전으로 인해 새로운 직업과 산업이 탄생하고 있으며, 이는 우리의 삶을 더욱 풍요롭게 만들 것이다.

반대로, AI 시대에도 안전한 직업들은 무엇일까? 창의성과 인간의 감정이 중요한 역할을 하는 직업들은 AI로 대체되기 어려울 것이다. 예술가, 작가, 디자이너와 같은 창의적인 직업들은 인간의 고유한 창의성과 감정을 필요로 하기 때문에 안전할 가능성이 높다. 또한, 상담사, 사회복지사, 의료 전문가와 같은 직업들도 인간의 감정적 지지와 공감을 필요로 하기 때문에 AI로 대체되기 어렵다. 교육 분야에서도 교사는 학생들과의 상호작용을 통해 교육 효과를 높이기 때문에 AI로 완전히 대체되기 어렵다.

예술가는 AI 시대에도 안전한 직업 중 하나로 여겨진다. AI가 이미 예술 작품을 생성할 수 있는 능력을 보유하고 있지만, 인간만이 가지고 있는 독창성과 감정 표현의 깊이를 완전히 대체하기는 어렵다. 예술가는 자신의 경험과 감정을 바탕으로 작품을 창작하며, 이는 AI가 흉내낼 수 없는 인간만의 고유한 창조물이다.

작가와 시나리오 작가 역시 AI로 대체되기 어려운 직업 중 하나다. 비록 AI가 텍스트를 생성할 수 있는 능력을 지니고 있지만, 인간의 창의성과 깊이 있는 감정 표현을 완벽하게 반영하기는 힘들다. 작가는 자신의 경험과 상상력을 통해 독특한 이야기를 창조해내며, 이는 AI가 따라잡기 힘든 인간만의 특별한 영역이다.

디자이너는 창의성과 감각이 중요한 직업이다. AI가 이미 디자인을 생성할 수 있는 능력을 가지고 있지만, 인간의 창의성과 미적 감각을 완전히 대체하기는 어렵다. 디자이너는 자신의 창의성과 감각을 통해 독창적인 작품을 만들어내며, 이는 AI가 쉽게 모방할 수 없는 부분이다.

상담사와 사회복지사도 AI로 대체되기 어려운 직업 중 하나다. AI가 상담과 지지를 제공하는 능력을 갖추고 있더라도, 인간의 감정적 지지와 공감을 대체하기에는 한계가 있다. 이러한 직업들은 인간의 이해와 공감 능력을 필요로 하며, 이는 AI가 가질 수 없는 중요한 요소이다.

의료 전문가도 AI로 대체되기 어려운 직업 중 하나다. AI가 이미 의료 진단과 치료를 제공할 수 있는 능력을 가지고 있지만, 의사는 자신의 경험과 감정을 바탕으로 환자에게 맞춤형 진단과 치료를 제공한다. 예를 들어, 의사는 환자의 증상과 감정을 종합적으로 고려해 치료 방안을 제시하며, 이는 인간의 경험과 통찰력을 반영한 것이다.

교사는 학생들과의 상호작용을 통해 교육 효과를 높이는 직업이다. AI가 이미 교육을 제공할 수 있는 능력을 가지고 있지만, 학생들과의 상호작용을 완전히 대체하기는 어렵다. 교사는 자신의 경험과 감정을 통해 학생들의 이해도를 높이며, 이는 AI가 쉽게 따라할 수 없는 인간만의 고유한 역할이다.

이처럼 AI는 다양한 산업과 직업에 영향을 미치며, 많은 직업들이 사라질 위기에 처해 있다. 그러나 이는 동시에 새로운 기회도 제공한다. AI 기술의 발전으로 인해 새로운 직업과 산업이 탄생하고 있으며, 이는 우리의 삶을 더욱 풍요롭게 만들 것이다. 우리는 이러한 변화를 이해하고, AI 기술을 효과적으로 활용할 수 있는 능력을 키워야 한다.

제5장 AI와 직업: 새롭게 나타나는 것들

AI의 발전은 단지 기존 직업을 위협하는 것에 그치지 않고, 새로운 직업의 탄생과 기존 직업의 재발견을 불러온다. 이 장에서는 AI 시대에 새롭게 떠오르는 직업들과 그 배경, 그리고 우리가 어떻게 준비할 수 있을지에 대해 살펴본다.

AI와 데이터 과학자는 AI 시대의 핵심 직업이다. 데이터 과학자는 대량의 데이터를 분석하고, 이를 통해 유의미한 통찰을 도출하는 역할을 한다. AI가 발전함에 따라 데이터의 중요성은 더욱 커지고 있으며, 이를 분석하고 활용할 수 있는 능력은 매우 중요한 자산이 되고 있다. 구글과 같은 거대 기술 기업들은 데이터 과학자를 고용해 사용자 데이터를 분석하고, 이를 통해 더 나은 제품과 서비스를 제공하고 있다. 데이터 과학자는 통계학, 프로그래밍, 그리고 머신러닝에 대한 깊은 이해를 필요로 하며, 이러한 기술들은 AI 시대의 필수 역량으로 자리 잡고 있다.

AI 개발자와 엔지니어도 새로운 시대의 주요 직업이다. AI 시스템을 설계하고 구현하는 능력은 AI 산업의 중심에 있다. AI 개발자는 다양한 AI 알고리즘과 모델을 개발하고, 이를 실생활에 적용할 수 있는 시스템으로 구현한다. 자율 주행 자동차를 개발하는 테슬라의 엔지니어들은 복잡한 AI 알고리즘을 사용해 차량이 스스로 주행할 수 있도록 시스템을 설계한다. AI 개발자는 프로그래밍 능력은 물론, 딥러닝과 강화학습에 대한 깊은 이해를 필요로 한다.

AI 윤리학자와 규제 전문가도 중요한 역할을 한다. AI가 발전하면서 윤리적 문제와 법적 규제에 대한 논의가 활발해지고 있다. AI 윤리학자는 AI 기술이 사회에 미치는 영향을 연구하고, 이를 바탕으로 윤리적 가이드라인을 제시한다. AI가 개인의 프라이버시를 침해하지 않도록 하는 방안을 연구하는 것이다. 규제 전문가는 AI 기술의 법적 측면을 연구하고, 이를 바탕으로 규제 정책을 수립하는 역할을 한다. 이는 AI 기술이 사회적으로 받아들여지고, 안전하게 사용될 수 있도록 하는 데 중요한 역할을 한다.

AI 제품 매니저도 새로운 직업 중 하나다. AI 제품 매니저는 AI 기술을 활용한 제품의 기획, 개발, 마케팅을 총괄하는 역할을 한다. 이들은 사용자 요구를 분석하고, 이를 반영한 AI 제품을 기획하며, 개발팀과 협력해 제품을 구현한다. 애플의 시리를 개발하고 관리하는 팀은 제품 매니저가 중심이 되어 사용자 경험을 개선하고, 새로운 기능을 추가하는 작업을 한다. AI 제품 매니저는 기술적 이해와 비즈니스 감각을 겸비해야 하며, 팀 협업과 프로젝트 관리 능력이 중요하다.

로봇 윤리학자와 감성 AI 연구자도 주목받고 있다. 로봇 윤리학자는 로봇과 인간의 상호작용에서 발생할 수 있는 윤리적 문제를 연구하며, 감성 AI 연구자는 AI가 인간의 감정을 이해하고 반응할 수 있도록 연구한다. 이는 로봇이 사람과 보다 자연스럽고 윤리적으로 상호작용할 수 있도록 하는 데 기여한다. 감성 AI 연구자는 로봇이 사람의 얼굴 표정이나 목소리 톤을 분석해 감정을 이해하고 적절하게 반응할 수 있도록 하는 기술을 개발한다. 이러한 기술은 로봇이 사람과의 상호작용에서 더욱 인간적인 면모를 보여줄 수 있게 한다.

AI 교육자와 트레이너도 중요한 역할을 할 것이다. AI 교육자는 AI 기술을 배우고자 하는 사람들에게 교육을 제공하는 역할을 한다. 이는 학교나 대학에서의 공식적인 교육뿐만 아니라, 기업 내 교육 프로그램이나 온라인 강좌를 통해서도 이루어질 수 있다. Coursera나 Udacity와 같은 온라인 교육 플랫폼에서는 AI 전문가들이 다양한 AI 강좌를 제공하고 있다. AI 트레이너는 AI 시스템을 훈련시키는 역할을 하며, 이는 AI 시스템이 더욱 정확하고 효율적으로 작동할 수 있도록 한다. AI 트레이너는 자율 주행 자동차의 AI 시스템을 훈련시켜 다양한 도로 상황에 대처할 수 있도록 한다.

디지털 치유 전문가와 AI 기반 헬스케어 전문가도 떠오르고 있다. 디지털 치유 전문가는 AI와 디지털 기술을 활용해 정신 건강을 개선하는 방법을 연구하고, 이를 실생활에 적용하는 역할을 한다. 이는 AI가 개인의 정신 건강 상태를 모니터링하고, 필요할 때 적절한 조치를 취할 수 있도록 하는 것이다. AI가 사용자의 감정 상태를 분석해 스트레스 관리나 우울증 치료를 돕는 프로그램을 제공할 수 있다. AI 기반 헬스케어 전문가는 AI 기술을 활용해 개인화된 건강 관리 서비스를 제공하며, 이는 질병 예방과 치료에 큰 도움이 된다.

AI 기반의 금융 분석가와 투자 고문도 새롭게 떠오르는 직업 중 하나다. 이들은 AI를 사용해 시장 데이터를 분석하고, 투자 결정을 최적화하는 역할을 한다. AI는 방대한 양의 데이터를 빠르게 분석하고, 이를 바탕으로 투자 전략을 수립할 수 있다. AI 기반 투자 플랫폼은 실시간으로 시장 데이터를 분석해 최적의 투자 결정을 내리도록 도와준다. 이러한 시스템은 투자자들이 보다 효율적으로 자산을 관리할 수 있도록 하며, 높은 수익을 기대할 수 있게 한다.

AI의 발전은 농업에서도 큰 변화를 일으키고 있다. 정밀 농업 기술자는 AI와 데이터 분석을 통해 농업 생산성을 극대화하는 방법을 연구한다. AI는 토양 상태, 날씨 데이터, 작물 건강 등을 실시간으로 모니터링하고 분석해 농업인에게 최적의 재배 조건을 제시한다. 농업 로봇 공학자는 AI를 활용한 로봇을 설계하고 개발하는 역할을 하며, 이러한 로봇은 파종, 수확, 잡초 제거 등의 작업을 자동으로 수행할 수 있다.

AI는 헬스케어 분야에서도 혁신을 주도하고 있다. 원격 진료 전문가는 AI를 활용해 환자의 데이터를 분석하고, 필요한 경우 실시간으로 의료 상담을 제공한다. 이는 특히 의료 서비스가 부족한 지역에서 중요한 역할을 한다. 개인 맞춤형 건강 코치는 AI 기술을 활용해 사용자의 건강 상태를 모니터링하고, 적절한 운동과 식단 계획을 제안한다. 이러한 건강 관리 앱은 단순히 사용자의 건강 데이터를 분석하는 것을 넘어, 사용자의 건강 목표를 달성하기 위한 종합적인 건강 관리 서비스를 제공한다.

AI는 물류 및 공급망 관리에서도 큰 변화를 가져오고 있다. 물류 최적화 전문가는 AI를 활용해 물류 경로를 최적화하고, 재고 관리를 효율적으로 수행한다. 자율 주행 차량 운용 관리자는 AI를 활용해 자율 주행 차량의 운영을 관리하고 최적화하는 역할을 한다. 이러한 시스템은 물류 비용을 절감하고 배송 효율성을 높이는 데 큰 도움이 된다.

AI는 교육 분야에서도 큰 변화를 가져오고 있다. AI 기반 교육 콘텐츠 개발자는 AI를 활용해 개인 맞춤형 교육 콘텐츠를 개발하고 제공한다. 이는 학생들이 자신의 학습 속도와 수준에 맞춘 교육을 받을 수 있도록 한다. AI는 학생의 학습 데이터를 분석해 부족한 부분을 보완할 수 있는 콘텐츠를 추천한다. 온라인 교육 플랫폼 관리자는 AI를 활용해 플랫폼을 최적화하고, 사용자 경험을 개선하는 역할을 한다.

이처럼 AI는 다양한 분야에서 혁신을 일으키며, 기존의 직업뿐만 아니라 새로운 직업의 탄생을 촉진하고 있다. AI 기술을 적극적으로 활용하면, 많은 돈을 벌 수 있는 기회가 존재하며, 이는 IT 분야에 국한되지 않고 다양한 산업에서 가능하다. 이러한 변화를 이해하고, 필요한 기술과 역량을 갖추는 것은 AI 시대에 성공적으로 적응하고 성장할 수 있는 중요한 열쇠가 될 것이다.

제6장 AI시대, 어떻게 준비할까

AI 시대가 도래하면서 기술의 발전이 우리의 삶을 빠르게 변화시키고 있다. 그러나 이러한 변화에 잘 대비하고 적응하기 위해서는 어떤 준비가 필요할까? 이번 장에서는 AI 시대에 대비하기 위해 필요한 기술과 역량, 그리고 이를 습득하는 방법에 대해 현실적이고 실질적인 조언을 제공하겠다.

AI는 다양한 분야에서 혁신을 주도하고 있으며, 이에 따라 새로운 기술과 역량을 요구하고 있다. 특히 30대에서 50대까지의 독자들이 AI 시대에 성공적으로 적응하기 위해서는 다음과 같은 기술과 역량을 갖추는 것이 중요하다.

AI는 데이터를 통해 학습하고 의사결정을 내린다. 따라서 데이터를 수집하고 정제하며 분석하는 능력은 매우 중요하다. 일상생활에서 우리가 자주 접하는 엑셀을 잘 활용하는 것도 도움이 될 수 있다. 기본적인 통계 개념을 익히고, 파이썬이나 R 같은 프로그래밍 언어로 간단한 데이터 분석을 시도해보는 것도 좋은 시작이다. 예를 들어, 가족의 건강 데이터를 분석해 건강 관리 계획을 세우거나, 가계부 데이터를 통해 소비 패턴을 분석해볼 수 있다.

또한, AI 알고리즘을 구현하고 조작하기 위해서는 프로그래밍 능력이 필요하다. 특히 파이썬은 AI와 머신러닝에 널리 사용되는 언어이다. 코드 아카데미(Codecademy)나 Udacity와 같은 온라인 플랫폼에서 파이썬 기초 강좌를 수강하면 쉽게 시작할 수 있다. 복잡한 알고리즘을 구현하는 대신, 간단한 스크립트를 작성해 일상생활에서 유용하게 사용할 수 있는 도구를 만들어보는 것도 큰 도움이 된다.

머신러닝 알고리즘을 이해하고 구현하는 능력은 AI 분야에서 필수적이다. TensorFlow, PyTorch와 같은 라이브러리를 배우는 것은 중요하지만, 처음부터 이를 깊이 있게 배우기보다는 기본 개념을 이해하고 간단한 예제를 통해 경험을 쌓아보는 것이 좋다. 이미지 분류 모델을 사용해 가족 사진을 정리하는 간단한 프로젝트를 시도해볼 수 있다.

창의적이고 효율적으로 문제를 해결하는 능력은 AI 시대에 매우 중요하다. 실제로 생활 속 문제를 해결하기 위해 AI를 활용해보는 것도 좋은 연습이 될 수 있다. 집안일 스케줄을 자동으로 조정해주는 간단한 프로그램을 만들어보는 것도 문제 해결 능력을 기르는 데 도움이 된다.

AI 기술을 배우기 위해 다양한 교육 프로그램과 자원을 활용할 수 있다. 이러한 자원들은 초보자부터 고급 사용자까지 모두에게 유용하다. Coursera, edX, Udacity와 같은 플랫폼은 AI 관련 강좌를 제공한다. Coursera의 'Machine Learning' 강좌는 스탠포드 대학교의 앤드류 응 교수가 제공하며, 기초부터 심화 내용까지 다룬다. 이 외에도 다양한 무료 강좌를 활용해 자신의 페이스에 맞춰 학습할 수 있다. 이러한 강좌는 이론뿐만 아니라 실습도 포함하고 있어 실질적인 기술 습득에 큰 도움이 된다.

많은 대학에서 AI 관련 학위 프로그램을 제공하고 있다. 이러한 프로그램은 이론 교육과 실습을 병행하며, 최신 기술 동향을 반영한 커리큘럼을 제공한다. 또한, 대학에서는 다양한 연구 프로젝트에 참여할 기회를 제공하여 실제 경험을 쌓을 수 있다.

다양한 책, 논문, 블로그 등을 통해 스스로 학습할 수 있다. '딥러닝'이라는 책은 딥러닝의 기초부터 심화 내용을 다루며, 스스로 학습하기에 좋은 자료이다. 또한, 아카이브(arXiv)와 같은 온라인 논문 저장소에서 최신 연구 동향을 파악할 수 있다. 블로그나 유튜브 채널에서 제공하는 튜토리얼도 유용하다.

AI 시대에 경력을 개발하는 방법에 대해 논의해보자. 이는 단순히 기술을 배우는 것을 넘어, 이를 활용하여 경력을 쌓고 발전시키는 방법을 포함한다. AI 커뮤니티에 참여해 네트워킹을 형성하는 것이 중요하다. Kaggle, GitHub와 같은 플랫폼을 통해 프로젝트를 공유하고 다른 전문가들과 교류할 수 있다. 온라인 포럼과 소셜 미디어 그룹에서도 다양한 정보를 얻고 질문을 할 수 있다. 이는 최신 기술 동향을 파악하고 실무 경험을 쌓는 데 큰 도움이 된다. Kaggle의 데이터 분석 경진대회에 참가해 실제 데이터 셋을 다루어보고, 다른 참가자들의 코드를 분석해보는 것도 좋은 경험이 된다.

실제 프로젝트를 통해 경험을 쌓는 것이 중요하다. AI 관련 인턴십을 통해 실무 경험을 쌓고, 개인 프로젝트를 통해 기술을 연마할 수 있다. 자신의 프로젝트를 포트폴리오로 만들어 온라인에 공유하면 취업 시 큰 장점이 된다. 인공지능을 활용한 간단한 웹 애플리케이션을 개발해 포트폴리오에 추가할 수 있다.

AI는 빠르게 발전하는 분야이므로, 최신 기술과 트렌드를 지속적으로 학습하는 것이 중요하다. 컨퍼런스, 워크숍, 세미나 등에 참여해 최신 정보를 습득할 수 있다. 온라인 강좌나 웹 세미나를 통해서도 지속적으로 학습할 수 있다. AI 관련 주요 컨퍼런스인 NeurIPS, CVPR 등에 참여해 최신 연구 결과와 기술 동향을 파악할 수 있다.

AI 기술의 발전과 변화에 적응하기 위한 자세와 마음가짐에 대해 설명해보자. 변화에 유연하게 대응하는 능력은 AI 시대에 매우 중요하다. 새로운 기술과 도구에 빠르게 적응할 수 있어야 한다. 이는 호기심과 개방적인 태도를 유지하고, 새로운 것을 배우는 즐거움을 찾는 데서 시작된다.

창의적이고 혁신적인 사고는 문제 해결과 새로운 아이디어 창출에 필수적이다. 일상생활에서 작은 문제를 해결하는 과정에서도 창의적인 접근을 시도해보자. 정해진 시간에 알람을 울리게 하는 대신, 기상 시간에 따라 조명을 조절해주는 시스템을 만들어볼 수 있다.

AI 기술은 지속적으로 발전하고 있으므로, 항상 최신 정보를 학습하고 기술을 업데이트하는 것이 중요하다. 이는 독서를 통해서도 가능하고, 다양한 온라인 자료를 통해서도 가능하다. AI 관련 최신 연구 논문을 정기적으로 읽고, 이를 바탕으로 새로운 아이디어를 구상해보는 것도 좋다.

AI 프로젝트는 다양한 전문가들이 협력해 진행된다. 효과적인 팀워크와 커뮤니케이션 능력은 성공적인 프로젝트를 위해 필수적이다. 이는 업무뿐만 아니라 일상생활에서도 중요한 능력이다. 다양한 배경을 가진 팀원들과의 협업을 통해 더 나은 결과를 도출할 수 있다.

AI 기술을 실생활에 적용하는 간단한 실습 예제를 소개한다. 파이썬을 사용해 가계부 데이터를 분석해보자. pandas와 matplotlib 라이브러리를 사용해 수입과 지출을 시각화하고, 월별 소비 패턴을 분석할 수 있다. 이는 데이터 분석 능력을 키우는 데 도움이 된다. 매월 지출이 가장 많은 항목을 분석해 절약할 수 있는 방안을 모색할 수 있다.

라즈베리 파이와 같은 저렴한 컴퓨터를 사용해 집안의 조명과 온도 조절을 자동화할 수 있다. 이는 프로그래밍과 하드웨어 제어 능력을 키우는 데 도움이 된다. 아침에 자동으로 조명이 켜지고, 저녁에 온도가 적절히 조절되는 시스템을 구축해볼 수 있다.

AI 시대에 적응하는 것은 단순히 기술을 배우는 것에 그치지 않는다. 새로운 기술에 대한 열린 마음과 유연한 사고도 필요하다. AI는 우리의 생활을 더욱 편리하고 효율적으로 만들어줄 수 있는 잠재력을 가지고 있다. 이를 적극적으로 받아들이고, 새로운 기술을 활용해보는 자세가 중요하다. AI 시대는 이미 우리 곁에 와 있으며, 우리는 이 변화를 받아들이고 준비해야 한다.

제7장 AI시대의 윤리와 책임

AI 기술이 급속히 발전하면서 그에 따른 윤리적 문제와 책임에 대한 논의가 점점 더 중요해지고 있다. 이 장에서는 AI 기술이 불러일으키는 윤리적 문제를 구체적인 사례를 통해 살펴보고, 독자들이 AI를 활용할 때 올바른 판단을 내릴 수 있도록 돕기 위한 방안을 제시하고자 한다.

AI의 윤리적 문제 중 하나로 편향성과 공정성을 들 수 있다. AI 시스템은 학습 데이터에 기반하여 결정을 내리기 때문에, 데이터가 편향되어 있다면 AI의 결정 역시 편향될 가능성이 크다. 2016년 마이크로소프트의 챗봇 테이(Tay)는 트위터 사용자들과 상호작용하면서 인종차별적이고 공격적인 발언을 학습하여 큰 논란을 일으켰다. 이는 AI가 부적절한 데이터를 학습할 경우 어떤 문제가 발생할 수 있는지를 명확히 보여준다. AI 기반 채용 시스템에서 편향된 데이터를 사용하면 특정 인종이나 성별에 대한 차별이 발생할 수 있다. 이를 방지하기 위해 다양한 인종과 성별을 포함한 데이터로 학습시키고, 공정성을 보장하는 알고리즘을 적용해야 한다.

AI 시스템에서 발생할 수 있는 편향성을 최소화하기 위한 방법 중 하나는 다양한 데이터셋을 사용하는 것이다. 예를 들어, 페이스북의 광고 타겟팅 시스템이 특정 인종이나 성별에 대해 차별적으로 작동하지 않도록 하기 위해 다양한 사용자 데이터를 포함한 학습 데이터를 사용하는 것이 중요하다. 또한, 공정성 알고리즘을 적용하여 AI 모델이 편향되지 않도록 조정할 수 있다. 이러한 알고리즘은 AI가 특정 그룹에 대해 불공정한 결정을 내리지 않도록 한다. Compass라는 AI 시스템은 미국의 일부 법원에서 사용되며, 범죄자의 재범 가능성을 평가하는 데 사용된다. 그러나 Compass는 흑인 범죄자에게 더 높은 재범 가능성을 부여하는 경향이 있어 논란이 되었다. 이는 편향된 데이터를 학습한 결과로, 데이터의 편향성을 최소화하고 공정성을 확보하는 알고리즘이 필요함을 보여준다.

AI는 대량의 데이터를 처리하기 때문에 개인의 프라이버시와 데이터 보호 문제도 중요하다. GDPR(General Data Protection Regulation)과 같은 법적 규제를 준수하고, 데이터의 익명성을 보장하며, 안전한 데이터 관리를 위한 조치를 취해야 한다. 예를 들어, 의료 분야에서 AI를 활용하여 환자의 데이터를 분석할 때, 환자의 개인 정보를 철저히 보호하고 익명화된 데이터를 사용하여 분석을 수행해야 한다. GDPR은 유럽 연합에서 시행되는 강력한 데이터 보호 규정으로, 개인 데이터의 수집, 저장, 처리에 엄격한 기준을 적용한다.

또한, AI의 투명성과 설명 가능성도 중요한 윤리적 문제로 대두되고 있다. 많은 AI 시스템은 복잡한 알고리즘을 사용하기 때문에 그 결정 과정을 이해하기 어려운 경우가 많다. 2020년 미국 캘리포니아에서는 자율 주행 자동차가 사고를 일으켰을 때, 그 사고의 원인을 파악하는 데 어려움을 겪었다. 이는 AI가 잘못된 결정을 내렸을 때, 그 원인을 파악하고 책임을 물을 수 없다는 문제를 야기한다. 따라서 AI 시스템의 투명성을 높이고, 결정 과정을 설명할 수 있는 방법을 개발하는 것이 필요하다.

"우리는 인간의 편견을 AI에 심어줄 수 없다. 공정하고 투명한 시스템을 개발하는 것이 우리의 책임이다." - Timnit Gebru

또 다른 중요한 문제는 AI의 책임 소재다. AI 시스템이 잘못된 결정을 내렸을 때, 그 책임을 누가 져야 하는지에 대한 명확한 기준이 필요하다. 이는 특히 자율 주행 자동차나 의료 AI 시스템과 같이 인간의 생명과 직결된 분야에서 더욱 중요하다. 2018년 우버의 자율 주행 자동차가 보행자를 치어 사망하게 한 사건은 AI의 책임 문제를 다시 한 번 환기시켰다. 이 사건에서 우버는 자율 주행 시스템의 결함으로 인해 발생한 사고에 대해 책임을 지게 되었다. 이는 자율 주행 시스템의 안전성을 검증하고, 법적 책임을 명확히 규정하는 것이 중요함을 보여준다.

"AI 시스템이 잘못된 결정을 내렸을 때, 그 책임을 묻는 것은 간단한 일이 아니다. 그러나 우리는 명확한 책임 소재를 규정해야 한다." - Fei-Fei Li

AI의 지적 재산권 문제도 중요하다. AI가 생성한 콘텐츠에 대한 지적 재산권 문제도 중요하다. AI가 만든 예술 작품, 음악, 발명 등에 대한 소유권을 명확히 규정하는 법적 기준이 필요하다. IBM의 Watson은 AI를 사용하여 특허 검색과 발명을 지원하는 시스템을 개발했다. Watson은 대량의 특허 데이터를 분석하여 새로운 발명을 제안할 수 있다. 그러나 Watson이 제안한 발명에 대한 특허 소유권을 누구에게 부여할 것인지에 대한 법적 문제가 있다. 딥드림(DeepDream)은 구글의 AI 시스템으로, 이미지 데이터를 학습하여 새로운 예술 작품을 생성할 수 있다. GPT-3는 자연어 생성 모델로, 다양한 텍스트를 생성할 수 있다. AI가 창작한 예술 작품에 대한 저작권 소유권을 누구에게 부여할 것인지에 대한 논란이 있다.

이러한 윤리적 문제를 해결하기 위해서는 법적, 사회적 규제뿐만 아니라 기술적 접근도 필요하다. AI 시스템을 설계할 때부터 윤리적 문제를 고려하고, 이를 반영한 알고리즘을 개발하는 것이 중요하다. AI 시스템의 개발과 운영 과정에서 지속적으로 윤리적 검토를 실시하고, 필요한 경우 이를 수정하는 절차를 마련해야 한다.

결론적으로, AI 기술의 발전은 우리의 삶을 편리하게 만들고 있지만, 그에 따른 윤리적 문제와 책임에 대한 논의도 필수적이다. 우리는 AI를 활용할 때 이와 같은 윤리적 문제를 인식하고, 올바른 판단을 내릴 수 있는 능력을 갖춰야 한다. 이를 통해 AI 기술이 더 나은 사회를 만드는 데 기여할 수 있을 것이다.

이러한 문제를 해결하는 데 있어 독자들도 생각해 볼 질문들이 있다. 아래의 질문들에 대해 한 번 고민해 보자.

AI 시스템이 내리는 결정이 항상 공정하다고 생각하는가? 왜 그렇다고 생각하는가?

AI의 결정 과정을 이해하고 설명할 수 있는 능력이 왜 중요한가?

개인정보를 보호하기 위해 AI 시스템이 어떤 조치를 취해야 한다고 생각하는가?

AI의 잘못된 결정으로 인한 책임은 누구에게 물어야 하는가?

AI가 인간의 감정을 이해하고 반응할 수 있는 수준에 도달했을 때, 어떤 윤리적 문제가 발생할 수 있을까?

제8장 AI와 창의성

AI는 창의성의 경계를 확장하며, 다양한 예술 및 창작 분야에서 혁신을 이끌고 있다. AI가 어떻게 이러한 변화를 주도하고 있는지, 그리고 이로 인해 새롭게 등장한 가능성들을 구체적인 사례와 함께 탐구해보자.

음악 창작 과정에서 AI는 혁신을 일으키고 있다. AI 작곡가들은 복잡한 알고리즘을 사용하여 새로운 음악을 만들어내고 있다. Jukedeck과 같은 AI 작곡 소프트웨어는 사용자의 입력에 따라 즉석에서 음악을 생성할 수 있다. 이러한 기술은 음악가들이 새로운 아이디어를 얻고, 창작의 범위를 넓히는 데 도움을 주고 있다. 음악 추천 시스템에서도 AI의 역할은 매우 중요하다. 스포티파이와 애플 뮤직은 AI를 사용해 사용자의 취향을 분석하고 맞춤형 플레이리스트를 제공한다. 이는 사용자가 새로운 음악을 발견하는 데 큰 도움을 주며, 음악 소비 패턴을 변화시키고 있다.

AI가 창작한 음악이 주목받은 사례로는 아미 AI(Amper AI)가 있다. 이 AI는 광고, 영화, 비디오 게임 등에 사용할 음악을 작곡하는 데 사용된다. 이는 음악 제작의 비용과 시간을 크게 절감하면서도 창의적인 작품을 만들어낼 수 있는 가능성을 보여준다.

시각 예술 분야에서도 AI의 영향은 매우 크다. 구글의 딥드림(DeepDream)은 AI를 사용하여 기존 이미지에서 새로운 예술 작품을 생성한다. 이는 예술가들이 새로운 기법을 시도하고, 창작의 영감을 얻는 데 기여하고 있다. AI는 사진, 그림, 조각 등 다양한 예술 작품을 생성할 수 있으며, 예술가들은 이를 도구로 활용하여 더욱 독창적인 작품을 만들어내고 있다. 실제 사례로, 2018년 크리스

티 경매에서 AI가 그린 초상화 "에드몽 드 벨라미"가 약 43만 2천 달러에 판매되었다. 이는 AI가 생성한 예술 작품이 상업적으로도 가치를 인정받을 수 있음을 보여준다. 이에 대해 AI 연구자 겸 예술가 마리오 클링겔러(Mario Klingemann)는 "AI는 예술의 새로운 지평을 열어주고 있으며, 창작의 과정에서 인간과 기계의 협업을 가능하게 한다."고 언급했다.

문학과 스토리텔링 분야에서도 AI는 혁신을 불러일으키고 있다. OpenAI의 GPT-3는 자연어 처리 기술을 활용하여 소설, 시, 시나리오 등 다양한 텍스트를 생성할 수 있다. 이는 작가들이 새로운 이야기 구조와 스토리를 창작하는 데 도움을 주고 있다. AI는 또한 자동 번역과 텍스트 요약에서도 중요한 역할을 한다. 이는 작가들이 전 세계 독자들과 소통하는 데 큰 도움을 주며, 문학 작품의 접근성을 높이는 데 기여하고 있다. AI가 텍스트를 생성하면서 발생한 논란의 예로, 2020년에는 GPT-3가 생성한 기사로 인해 인공지능이 인간 작가를 대체할 수 있다는 우려가 제기되기도 했다. 이는 AI의 창의적 사용에 대한 윤리적 논의의 필요성을 강조한다. AI와 문학에 대해 전 구글 연구원 페이페이 리(Fei-Fei Li)는 "AI는 우리의 상상력을 확장시켜주며, 새로운 형태의 스토리텔링을 가능하게 한다."고 말했다.

디자인과 건축 분야에서도 AI는 중요한 역할을 하고 있다. AI는 제품 디자인, 그래픽 디자인, 건축 설계 등 다양한 분야에서 혁신을 이끌고 있다. AI는 디자인 데이터를 분석하여 최적의 디자인을 제안할 수 있으며, 이는 디자이너들이 더욱 효율적으로 작업할 수 있도록 돕는다. 건축 설계에서는 AI가 최적의 구조와 재료를 제안하여 건축의 효율성과 안전성을 높인다. 예를 들어, 자하 하디드 아키텍츠는 AI를 사용하여 복잡한 건축 설계를 보다 효율적으로 수행하고 있으며, 이는 건축의 혁신을 가속화하고 있다.

영화와 애니메이션 제작 과정에서도 AI는 혁신을 일으키고 있다. AI는 시나리오 작성, 편집, 특수 효과 등 다양한 분야에서 활용되고 있다. AI는 대량의 데이터를 분석하여 최적의 시나리오를 제안할 수 있으며, 이는 작가들이 새로운 아이디어를 얻는 데 도움을 준다. AI는 또한 영상 편집에서 중요한 역할을 하며, 복잡한 편집 작업을 자동으로 수행할 수 있다. AI는 특수 효과 제작에서도 중요한 역할을 한다. AI는 영상 데이터를 분석하여 현실적인 특수 효과를 생성할 수 있으며, 이는 영화의 시각적 완성도를 높이는 데 기여하고 있다. AI는 애니메이션 제작에서도 중요한 역할을 하며, 애니메이터들이 더욱 창의적인 작업을 할 수 있도록 돕는다. AI의 사용으로 인한 사례로, 디즈니는 AI를 사용하여 애니메이션 캐릭터의 표정을 더욱 자연스럽게 만드는 연구를 진행하고 있다. 이는 애니메이션의 품질을 높이는 데 크게 기여할 것이다. 스티븐 스필버그(Steven Spielberg)는 "AI는 영화 제작의 미래를 변화시키고 있으며, 더욱 창의적이고 몰입감 있는 이야기를 만들어낼 것이다."라고 말했다.

게임 개발에서도 AI는 중요한 역할을 한다. AI는 게임 디자인, 캐릭터 개발, 스토리텔링 등 다양한 분야에서 활용되고 있다. AI는 게임 데이터를 분석하여 최적의 게임 디자인을 제안할 수 있으며, 이는 게임 개발자들이 더욱 효율적으로 작업할 수 있도록 돕는다. AI는 또한 게임 캐릭터의 행동을 제어하고, 게임 스토리를 생성할 수 있다. AI는 절차적 생성(Procedural Generation) 기술을 통해 게임 세계를 자동으로 생성할 수 있으며, 이는 게임의 다양성과 몰입감을 높이는 데 기여하고 있다. AI는 또한 게임 플레이어의 행동을 분석하여 맞춤형 게임 경험을 제공할 수 있다. 예를 들어, AI는 플레이어의 게임 스타일을 분석하여 게임의 난이도나 보상을 조정할 수 있다.

AI는 다양한 창의적 분야에서 혁신을 일으키고 있으며, 이는 예술과 창작의 경계를 확장하고 있다. AI는 예술가, 작가, 디자이너, 영화 제작자, 게임 개발자 등 다양한 창작자들이 새로운 가능성을 탐구하고, 독창적인 작품을 만들어내는 데 큰 도움을 주고 있다. 미래의 창작 과정에서 AI와의 협업은 더욱 보편화될 것이며, 이를 통해 새로운 형태의 예술과 창작이 탄생할 것이다.

제9장 AI와 인간의 정체성

AI의 급격한 발전은 인간의 정체성에 대한 새로운 질문을 불러일으킨다. AI는 인간의 사고, 창의성, 감정까지 모방할 수 있는 능력을 갖추게 되면서 인간과 기계의 경계가 모호해지고 있다. 이 장에서는 AI가 인간의 정체성에 미치는 영향을 철학적, 사회적, 기술적 측면에서 탐구하며, 다양한 사례와 논의를 통해 독자들이 스스로 질문하고 생각할 수 있도록 돕고자 한다.

AI는 인간의 지능을 모방하기 위해 설계되었지만, 그 과정에서 인간의 정체성에 대한 근본적인 질문을 제기한다. '나는 생각한다, 고로 존재한다'라는 데카르트의 명제는 인간의 자아와 의식을 정의하는 출발점이었다. 그러나 AI의 등장으로, '생각한다'의 의미는 무엇인지, 그리고 기계가 생각할 수 있는지에 대한 논의가 다시금 부상하고 있다. 유발 하라리는 "AI는 우리가 스스로를 더 잘 이해하고 감정적으로나 윤리적으로 진화할 수 있도록 도와줄 수 있다"고 언급했다.

AI와 인간 정체성의 철학적 측면을 살펴보자. 인간의 자아는 경험과 감정, 기억에 기반하며, 이는 각 개인의 고유한 정체성을 형성한다. 반면, AI의 '자아'는 프로그래밍된 데이터와 학습 알고리즘에 의해 구성된다. 인간의 자아가 경험과 감정을 통해 형성되는 반면, AI의 자아는 데이터와 알고리즘의 집합체로 존재한다는 점에서 근본적인 차이가 있다. 앨런 튜링은 그의 논문 'Computing Machinery and Intelligence'에서 기계가 생각할 수 있는지에 대해 질문하며, 튜링 테스트를 제안했다. 튜링 테스트는 컴퓨터가 인간처럼 자연스러운 대화를 나눌 수 있는지를 평가하는 방법으로, AI가 인간의 지능을 얼마나 잘 모방할 수 있는지를 측정하는 초기 시도로 간주된다.

AI와 인간 관계의 진화도 중요한 논의 주제다. 초기에는 AI가 인간의 도구로서 사용되었지만, 이제는 인간의 동반자, 나아가 경쟁자로서의 역할을 수행하고 있다. AI는 인간의 일자리를 대체하고, 인간의 역할을 재정의하는 데 기여하고 있다. 이러한 변화는 인간의 사회적 정체성에도 큰 영향을 미친다. 인간이 일자리를 통해 얻는 자존감과 사회적 역할이 변화함에 따라, AI와의 상호작용 방식도 달라지고 있다. 제임스 매니카는 "AI로 인해 일자리가 사라질 수도 있지만, 새로운 일자리와 변화된 일자리가 더 많이 생길 것이다"라고 말한 적이 있다.

AI가 공감과 감정을 모방할 수 있는지에 대한 논의도 중요한 이슈다. AI는 감정을 이해하고 반응하는 능력을 갖추기 위해 설계되고 있지만, 이는 여전히 기술적 도전 과제를 안고 있다. AI 기반 챗봇은 사용자의 감정을 분석하고 적절한 반응을 제공하려 하지만, 이는 여전히 인간의 감정적 지지와 공감을 완전히 대체하기는 어렵다.

기술적 사례와 이슈도 정체성 논의에서 빠질 수 없다. AI의 편향성 문제는 중요한 윤리적 이슈로 떠오르고 있다. 컴패스(Compass)라는 AI 시스템은 미국의 일부 법원에서 사용되며, 범죄자의 재범 가능성을 평가하는 데 사용된다. 그러나 이 시스템은 흑인 범죄자에게 더 높은 재범 가능성을 부여하는 경향이 있어 논란이 되었다. 이는 편향된 데이터를 학습한 결과로, 데이터의 편향성을 최소화하고 공정성을 확보하는 알고리즘이 필요함을 보여준다.

자율주행 자동차도 윤리적 문제를 제기한다. 테슬라의 자율 주행 시스템은 사고 발생 시 법적 책임을 누구에게 부여할 것인지에 대한 논란을 일으켰다. 자율주행 자동차가 사고를 일으켰을 때, 운전자, 제조사, 시스템 공급자 간의 책임 소재를 명확히 규정하는 법적 기준이 필요하다. 웨이모와 우버의 자율주행 기술도 마찬가지로 다양한 윤리적, 법적 문제를 안고 있다. 일론 머스크는 "AI는 인류 문명의 존재에 대한 근본적인 위험"이라고 경고한 바 있다.

AI의 창의성도 인간의 정체성에 중요한 영향을 미친다. AI는 예술 작품을 생성할 수 있는 능력을 가지고 있지만, 이는 인간의 창의성과 감정을 완전히 대체하지는 못한다. 예술가는 자신의 경험과 감정을 바탕으로 작품을 창작하며, 이는 AI가 모방할 수 없는 인간 고유의 능력이다. AI가 생성한 예술 작품과 인간이 만든 작품의 차이를 논의하고, AI 예술의 법적, 윤리적 문제를 다룬다.

AI와 인간의 정체성에 관한 논의에서 한 가지 주목할 만한 주제는 AI와 인간의 사랑이다. AI와의 상호작용이 깊어짐에 따라, 사람들은 AI와 정서적 유대를 형성하기도 한다. 영화 '허(Her)'에서는 주인공이 AI 운영체제와 사랑에 빠지는 이야기를 다루고 있다. 이는 AI와 인간의 관계가 단순한 도구적 상호작용을 넘어, 정서적 유대와 사랑으로 발전할 가능성을 제시한다. AI와의 정서적 관계는 윤리적, 사회적 문제를 동반한다. AI가 인간의 감정을 이해하고 반응하는 능력을 갖추기 위해 설계되었지만, 이는 여전히 기술적 도전 과제를 안고 있다. 인간과 AI 간의 관계에서 발생할 수 있는 윤리적 문제를 어떻게 해결할 것인지에 대한 논의가 필요하다. 또한, AI와의 정서적 관계가 인간의 사회적 관계와 정체성에 미치는 영향을 연구하는 것이 중요하다.

AI와 인간의 정체성 문제는 철학적, 사회적, 기술적 측면에서 다양한 논의가 필요하다. 우리는 AI의 발전이 인간의 정체성에 미치는 영향을 이해하고, 이를 바탕으로 AI와의 상호작용을 재정의해야 한다. AI는 우리의 삶을 더욱 편리하고 풍요롭게 만들 잠재력을 가지고 있으며, 이를 통해 더 나은 미래를 만들어 나갈 수 있을 것이다.

제10장 AI와 전력문제

AI의 발전과 함께 컴퓨팅 파워의 수요는 기하급수적으로 증가하고 있다. AI 모델, 특히 딥러닝 모델은 방대한 양의 데이터를 처리하고 학습하기 위해 막대한 컴퓨팅 자원을 필요로 한다. 이는 많은 양의 전기가 소비되는 것을 의미한다. 이번 장에서는 AI의 전력 소모 문제와 그에 따른 환경적 영향을 다루고, 이를 해결하기 위한 다양한 방안을 살펴보겠다.

AI 모델을 학습시키기 위해서는 GPU(Graphics Processing Unit)와 같은 고성능 하드웨어가 필요하다. 이들 하드웨어는 연산 능력이 뛰어나지만, 그만큼 많은 전력을 소비한다. 하나의 딥러닝 모델을 학습시키기 위해 수천 개의 GPU가 동원될 수 있으며, 이 과정에서 소비되는 전력은 엄청나다. 연구에 따르면, AI 모델 하나를 학습시키는 데 소비되는 전력은 한 가정의 연간 전력 소비량과 맞먹을 수 있다. 이는 AI 연구가 환경에 미치는 부정적인 영향을 최소화하기 위한 노력이 필요함을 시사한다.

AI 연구는 주로 대규모 데이터 센터에서 이루어진다. 이 데이터 센터들은 수천 대의 서버와 고성능 GPU로 구성되어 있으며, 이를 운영하기 위해 막대한 전력이 필요하다. 데이터 센터의 전력 소비는 지속적으로 증가하고 있으며, 이는 환경에 큰 부담을 준다. 특히, 전력 생산 과정에서 발생하는 탄소 배출은 지구 온난화를 가속화시키는 주요 원인 중 하나로 꼽힌다. 예를 들어, 2018년 구글의 데이터 센터는 약 10테라와트시(TWh)의 전력을 소비했으며, 이는 작은 국가의 연간 전력 소비량과 비슷한 수준이다.

AI 모델의 학습은 시간이 지남에 따라 더욱 복잡해지고 있다. 예를 들어, OpenAI의 GPT-3 모델은 1750억 개의 매개변수를 가진 초대형 자연어 처리 모델로, 이를 학습시키기 위해 막대한 컴퓨팅 파워가 필요했다. GPT-3를 학습시키는 데 소요된 전력은 수십만 킬로와트시(kWh)에 이르며, 이는 수백 가정의 연간 전력 소비량과 비슷한 수준이다. 이러한 대규모 AI 모델들은 그만큼 큰 환경적 비용을 초래한다.

AI의 전력 소모는 환경에 직접적인 영향을 미친다. 전력 생산 과정에서 화석 연료를 사용하는 경우, 이는 대기 중에 많은 양의 이산화탄소(CO_2)를 배출하게 된다. 이산화탄소는 대표적인 온실가스로, 지구 온난화와 기후 변화를 초래한다. AI의 전력 소모가 증가함에 따라, 이에 따른 탄소 배출도 증가하여 환경 문제를 심화시킨다.

연구에 따르면, 데이터 센터는 전 세계 전력 소비의 약 1%를 차지하며, 이 비율은 지속적으로 증가하고 있다. 특히 AI 연구가 활발해지면서 데이터 센터의 전력 소비와 탄소 배출이 급증하고 있다. 이는 AI 연구가 환경에 미치는 부정적인 영향을 최소화하기 위한 대책이 필요함을 시사한다.

AI의 전력 소모 문제를 해결하기 위해 다양한 방안이 제시되고 있다. 첫째, 더 효율적인 AI 알고리즘을 개발하는 것이다. AI 모델의 학습 효율성을 높이고, 불필요한 연산을 줄이는 알고리즘을 개발함으로써 전력 소비를 줄일 수 있다. 예를 들어, 구글의 TPU(Tensor Processing Unit)는 기존의 GPU보다 전력 효율이 뛰어나며, 이를 통해 AI 모델의 학습에 필요한 전력을 크게 줄일 수 있다.

둘째, 재생 에너지를 활용하는 것이다. 데이터 센터에서 사용하는 전력을 태양광, 풍력 등 재생 에너지로 대체함으로써 탄소 배출을 줄일 수 있다. 구글은 데이터 센터에서 사용하는 전력을 100% 재생 에너지로 공급하기 위한 노력을 기울이고 있다. 이는 AI 연구가 환경에 미치는 부정적인 영향을 줄이는 데 중요한 역할을 한다. 아마존 웹 서비스(AWS)도 재생 에너지를 활용하여 데이터 센터의 전력 소비를 줄이기 위해 노력하고 있다.

셋째, 분산 컴퓨팅을 활용하는 것이다. AI 모델의 학습을 여러 작은 컴퓨터에서 분산 처리함으로써 전력 소비를 줄일 수 있다. 이는 대규모 데이터 센터에서 발생하는 전력 소모를 분산시켜, 전력 효

율을 높이는 방법 중 하나이다. 예를 들어, SETI@home 프로젝트
는 전 세계 사용자들의 컴퓨터를 연결해 분산 컴퓨팅을 활용하여
외계 신호를 탐지하는 프로젝트로, AI 연구에도 이러한 접근법을
적용할 수 있다.

넷째, 에너지 효율성을 높이는 하드웨어 개발이다. 새로운 반도체
기술과 냉각 시스템을 통해 데이터 센터의 전력 소비를 줄일 수 있
다. 예를 들어, 액침 냉각 시스템은 서버를 액체에 담가 냉각함으로
써, 전통적인 공기 냉각 방식보다 에너지 효율성을 높일 수 있다.

AI는 많은 전력을 소비하지만, 동시에 이를 통해 지속 가능한 미
래를 위한 다양한 가능성을 열어주고 있다. AI를 활용하여 에너지
효율을 높이고, 재생 에너지의 생산과 소비를 최적화할 수 있다. 예
를 들어, 스마트 그리드 시스템은 AI를 통해 실시간으로 에너지 수
요를 예측하고, 재생 에너지의 생산을 최적화함으로써 에너지 효율
성을 높인다. AI는 환경 문제를 해결하기 위한 다양한 혁신적 접근
법을 제시할 수 있다.

독자들은 AI의 전력 소모 문제와 그로 인한 환경적 영향을 이해
하고, 이를 해결하기 위한 다양한 방안에 대해 깊이 있게 고민할
필요가 있다. AI는 우리의 삶을 더욱 편리하고 풍요롭게 만들 잠재
력을 가지고 있지만, 이를 지속 가능하게 발전시키기 위해서는 환
경적 책임을 다해야 한다. AI와 전력 문제는 우리가 함께 해결해야
할 중요한 과제이며, 이를 통해 더 나은 미래를 만들어 나갈 수 있
을 것이다.

AI와 전력 문제는 우리가 함께 해결해야 할 중요한 과제이며, 이를 통해 더 나은 미래를 만들어 나갈 수 있을 것이다. AI와 전력 문제에 대한 논의는 단지 기술적 해결책을 찾는 것에 그치지 않고, 우리가 어떻게 AI 기술을 더 책임감 있게 사용할 수 있을지에 대한 철학적 성찰도 필요하다. 우리는 AI 기술의 발전을 환영하면서도, 그로 인해 발생하는 환경적, 사회적 영향을 최소화하기 위해 지속적으로 노력해야 한다.

제11장 AI시대의 교육과 학습

AI는 단순히 교육 도구로서의 역할을 넘어 교육의 패러다임을 근본적으로 변화시키고 있다. AI가 교육 분야에 미치는 영향을 다양한 사례와 함께 살펴보자.

AI를 활용한 맞춤형 학습이 대표적인 예이다. 전통적인 교육 방식은 모든 학생에게 동일한 내용을 동일한 속도로 가르치는 방식이었다. 하지만 AI는 각 학생의 학습 속도, 이해도, 관심사에 맞춘 맞춤형 학습을 가능하게 한다. Coursera와 edX 같은 학습 관리 시스템(LMS)은 AI를 활용해 학생들의 학습 패턴을 분석하고, 개인별 맞춤형 학습 경로를 제시한다. 학생이 특정 주제를 이해하지 못하면 AI가 추가 자료를 추천하거나, 이해를 돕기 위한 보충 학습을 제안한다.

"AI는 교육의 큰 변화를 이끌어낼 것입니다. 맞춤형 학습과 같은 기술은 학생 개개인에게 맞춘 교육을 가능하게 하며, 이는 교육의 질을 높이는 데 크게 기여할 것입니다."라고 사티아 나델라, 마이크로소프트 CEO는 말한다. 이는 맞춤형 학습이 교육의 질을 높이는 데 어떻게 기여할 수 있는지 잘 설명해준다.

스마트 교실은 AI 기술을 통해 학생들과 교사 간의 상호작용을 증진시키고 있다. 스마트 보드와 같은 AI 기반 도구는 학생들의 참여를 유도하고, 실시간 피드백을 제공함으로써 학습 효과를 극대화한다. 중국의 일부 학교에서는 AI가 학생들의 얼굴 표정을 분석해 수업에 대한 집중도와 이해도를 평가하는 시스템을 도입하고 있다. 이를 통해 교사는 학생들의 반응을 즉각적으로 파악하고, 수업 방식을 조정할 수 있다.

AI는 또한 교육 격차 해소에 기여하고 있다. 저소득층 학생이나 장애를 가진 학생들은 기존의 교육 시스템에서 소외되기 쉽다. 그러나 AI는 이러한 학생들에게 맞춤형 교육을 제공함으로써 학습 기회를 확대한다. Duolingo와 같은 언어 학습 앱은 인터넷만 있다면 누구나 무료로 다양한 언어를 배울 수 있게 해준다. AI는 장애 학생들을 위한 보조 기술로도 활용된다. 시각 장애인을 위한 화면 읽기 소프트웨어나 청각 장애인을 위한 자동 자막 생성 기술 등이 그 예다.

평가와 피드백 분야에서도 AI가 사용된다. 전통적인 평가 방식은 주로 시험과 과제 제출에 의존했으나, AI는 학생들의 학습 과정을 지속적으로 모니터링하고, 실시간 피드백을 제공한다. AI 기반 에세

이 평가 시스템은 학생들이 제출한 글을 분석하고, 문법 오류, 논리적 흐름, 창의성 등을 평가하여 즉각적인 피드백을 제공한다.

AI는 교사들의 업무 부담을 줄이는 데도 기여하고 있다. 교사들은 수업 준비, 과제 채점, 학생 상담 등 많은 업무를 수행해야 한다. AI는 이러한 반복적인 업무를 자동화함으로써 교사들이 더 많은 시간을 학생들과의 직접적인 상호작용에 쓸 수 있도록 한다. 구글 클래스룸(Google Classroom)은 AI를 활용해 과제 제출, 채점, 피드백 제공 등을 자동화하고 있다.

또한, AI는 새로운 학습 방법을 제시하며 교육의 미래를 열어가고 있다. 가상 현실(VR)과 증강 현실(AR) 기술은 AI와 결합되어 더욱 몰입감 있는 학습 환경을 제공한다. 학생들은 역사적인 사건을 가상 현실로 체험하거나, 과학 실험을 증강 현실로 시뮬레이션할 수 있다. 이러한 경험은 학생들의 이해도를 높이고, 학습에 대한 흥미를 증대시킨다.

"AI는 교육의 장벽을 허물고, 전 세계 모든 학생들에게 동등한 학습 기회를 제공할 수 있습니다."라는 엘론 머스크, 테슬라 및 스페이스X CEO의 말처럼 AI는 교육의 접근성을 높이는 데 큰 역할을 하고 있다.

AI를 활용한 교육 기술의 발전은 또한 평생 학습의 중요성을 강조하고 있다. 과거에는 학교 교육이 주된 학습의 장이었다면, 이제는 AI를 통해 언제 어디서나 학습할 수 있는 시대가 되었다. 성인 학습자들은 AI를 통해 자신의 직업과 관련된 최신 기술을 배우거나, 새로운 분야에 도전할 수 있다. 이는 개인의 성장과 더불어 사회 전체의 지식 수준을 높이는 데 기여한다.

그러나 AI의 교육적 활용에는 몇 가지 윤리적 문제도 존재한다. 첫째, 데이터 프라이버시 문제가 있다. AI는 학생들의 학습 데이터를 수집하고 분석하여 맞춤형 교육을 제공한다. 그러나 이러한 데이터가 적절하게 보호되지 않으면 학생들의 개인정보가 유출될 위험이 있다. 둘째, AI의 편향성 문제도 중요하다. AI가 특정 그룹의 학생들에게 불공정한 대우를 하지 않도록 데이터의 편향성을 최소화하고, 공정성을 확보하는 알고리즘을 적용해야 한다.

AI 시대의 교육을 준비하기 위해 우리는 몇 가지 중요한 사항을 고려해야 한다. 첫째, 교사들은 AI 기술에 대한 이해를 높여야 한다. 이는 단순히 기술을 배우는 것을 넘어서, AI가 교육에서 어떻게 활용될 수 있는지를 이해하고, 이를 효과적으로 사용할 수 있는 능력을 갖추는 것을 의미한다. 둘째, 학생들도 AI와 관련된 기본적인 지식을 습득할 필요가 있다. 이는 미래의 직업 세계에서 경쟁력을 갖추기 위해 필수적이다.

제12장 AI시대에 적응하기

AI 시대가 도래하면서 우리는 이전과는 전혀 다른 세상을 마주하고 있다. 이러한 변화 속에서 우리는 AI를 이해하고 적응하는 능력을 갖추는 것이 중요하다. 새로운 기술을 적극적으로 활용하고, 이를 생활에 통합함으로써 AI 시대에 성공적으로 적응할 수 있다.

스마트폰의 도입 초기에는 많은 사람들이 이 새로운 기술에 대해 어려움과 두려움을 느꼈다. 그러나 지금은 스마트폰이 없는 생활을 상상하기 어렵다. AI도 이와 비슷한 과정을 겪을 것이다. 초기에는 낯설고 복잡하게 느껴지겠지만, 시간이 지나면서 AI는 우리의 일상에서 빼놓을 수 없는 중요한 도구가 될 것이다.

AI 시대에 적응하기 위해서는 먼저 AI 기술을 이해하는 것이 필요하다. AI는 데이터를 분석하고, 패턴을 인식하며, 이를 바탕으로 예측과 결정을 내리는 기술이다. 이러한 기술은 우리의 일상생활을 더욱 편리하고 효율적으로 만들어준다. 예를 들어, 스마트 스피커를 통해 음악을 듣고, 일정을 관리하며, 최신 뉴스를 받아볼 수 있다. 이러한 AI 기술은 우리의 생활을 더욱 풍요롭게 만들 수 있다.

새로운 기술을 적극적으로 활용하는 자세도 중요하다. AI 기술을 배우고 활용하는 것은 단순히 전문가들만의 일이 아니다. 누구나 AI를 이해하고, 이를 생활에 통합할 수 있다.

AI 기술을 활용하는 방법에는 여러 가지가 있다. 예를 들어, AI 기반의 교육 플랫폼을 통해 새로운 지식을 배우거나, 건강 관리 앱을 통해 개인의 건강을 관리할 수 있다. 또한, AI 기반의 금융 서비스나 쇼핑 추천 시스템을 활용해 보다 효율적이고 편리한 생활을 누릴 수 있다. 이러한 기술들은 우리의 일상을 더욱 풍요롭고 편리하게 만들어준다.

AI 시대에 적응하기 위해서는 끊임없는 학습과 변화를 수용하는 자세가 필요하다. AI 기술은 빠르게 발전하고 있으며, 이에 맞춰 우리의 지식과 기술도 지속적으로 업데이트되어야 한다. 이를 위해 다양한 교육 프로그램과 학습 자원을 활용하는 것이 중요하다. 온라인 강좌, 책, 세미나 등을 통해 AI에 대한 이해를 높이고, 새로운 기술을 배우는 것이 필요하다.

또한, AI 기술을 활용한 경험을 쌓는 것도 중요하다. 실제로 AI 기술을 활용해보고, 이를 생활에 적용해보는 경험을 통해 AI에 대한 이해를 높일 수 있다. AI 기반의 스마트 홈 기기를 사용해보거나, AI 기반의 헬스케어 앱을 활용해보는 것이 도움이 된다. 이러한 경험을 통해 AI 기술의 유용성과 가능성을 체감할 수 있다.

AI 시대에 적응하는 것은 단순히 기술을 배우는 것에 그치지 않는다. 새로운 기술에 대한 열린 마음과 유연한 사고도 필요하다. AI는 우리의 생활을 더욱 편리하고 효율적으로 만들어줄 수 있는 잠재력을 가지고 있다. 이를 적극적으로 받아들이고, 새로운 기술을 활용해보는 자세가 중요하다.

AI 시대는 이미 우리 곁에 와 있으며, 우리는 이 변화를 받아들이고 준비해야 한다. 새로운 기술을 배우고, 이를 생활에 통합함으로써 AI 시대에 성공적으로 적응할 수 있다. 스마트폰이 우리의 생활을 변화시킨 것처럼, AI도 우리의 일상을 더욱 풍요롭게 만들 것이다. 이제 우리는 AI 시대를 맞이할 준비를 하고, 새로운 기술을 활용해 더 나은 미래를 만들어 나가야 한다.

작가의 말

이 책은 제 인생의 첫 번째 책입니다. 오랜 시간 동안 저의 학문적 여정과 연구를 지지해 주신 많은 분들께 감사의 마음을 전하고 싶습니다.

먼저, 제가 박사학위를 마칠 때까지 항상 변함없는 사랑과 격려를 보내주신 엄마 남권사님과 아빠 이장로님에게 깊은 감사를 드립니다. 부모님의 사랑과 헌신이 없었다면 지금의 저는 존재하지 않았을 것입니다.

또한, 연구와 공부를 사랑하는 남편을 두어 남들과는 조금 다른 삶을 살아가는 아내에게도 감사의 마음을 전합니다. 아내의 이해와 지지가 있었기에 저는 학문에 몰두할 수 있었습니다.

오랜 시간 동안 지도교수로서 저를 이끌어주신 김수연 교수님께도 진심으로 감사드립니다. 교수님과의 많은 대화와 지도는 제 학문적 성장에 큰 밑거름이 되었습니다. 교수님의 가르침과 따뜻한 격려는 항상 큰 힘이 되었습니다.

마지막으로, 책을 쓰는 동안 잠에서 깨지않고 푹 잘자는 아들 하람이에게 이 책을 바칩니다. 하람이가 준 평화로운 시간 덕분에 이 책이 완성될 수 있었습니다.

이 책이 완성되기까지 도움을 주신 모든 분들께 다시 한 번 깊은 감사의 말씀을 드리며, 이 책이 독자 여러분께 작은 영감과 도움이 되기를 바랍니다. 감사합니다.

저자 이상훈